D1162942

Inspirée de la version en vidéocassette *La grande aventure de Winnie: À la recherche de Jean-Christophe* écrit par Karl Geurs et Carter Crocker.

ISBN 0-7172-3168-2
Dépôt légal 3e trimestre 1997
Bibliothèque nationale du Québec
Imprimé aux États-Unis

Disney
LA GRANDE AVENTURE
DE WINNIE
À la recherche de Jean-Christophe

GROLIER

En ce dernier jour d'un été ensoleillé...

... il était une fois un garçon et un ourson. Ensemble, ils vécurent de nombreuses aventures dans un endroit merveilleux appelé la Forêt des Rêves Bleus.

Mais la plus grande et la plus extraordinaire de toutes leurs aventures restait à venir. L'ourson ne le savait pas, mais un grand changement allait survenir. Son meilleur ami était sur le point de partir.

Winnie l'Ourson fredonnait un air joyeux lorsque Jean-Christophe arriva. Winnie ne savait pas que Jean-Christophe commençait l'école le lendemain. Et Winnie ne voulut rien entendre quand Jean-Christophe lui parla d'au revoir.

«Tu arrives juste à temps pour la meilleure partie de la journée», dit Winnie à son ami. «La partie où toi et moi devenons nous.»

Et Winnie entraîna
Jean-Christophe
dans une journée
remplie de jeux.

À la fin du dernier jour de cet été ensoleillé, Jean-Christophe tenta à nouveau de dire au revoir. «Winnie, dit-il, si jamais il y avait un lendemain où nous ne sommes pas ensemble, rappelle-toi ceci:

«Tu es plus brave que tu le crois, et plus fort que tu le parais, et plus intelligent que tu penses.»

Après cette dure journée passée à jouer, Winnie était fort fatigué. Il mélangea les mots en tentant de les répéter. Puis il s'endormit au moment où Jean-Christophe ajoutait, «Mais la chose la plus importante à retenir c'est que même si nous sommes séparés, je serai toujours avec toi.»

Dès le lendemain, la Forêt des Rêves Bleus connaissait sa première journée froide d'automne. Bien avant le réveil de Winnie, Jean-Christophe laissa un pot de miel devant sa porte. Il y fixa un petit mot disant à Winnie qu'il s'en allait en classe. Puis il partit.

Plus tard ce matin-là, Winnie trouva le miel. Le miel, c'est fait pour manger, pensa Winnie, mais pouvait-il se permettre de manger celui-ci? Cette question l'embêta tellement qu'il ne vit même pas le mot que lui avait laissé Jean-Christophe.

SANDERZ
SONNEZ
S.V.P.
DEAR POOH

Winnie décida de demander à Jean-Christophe au sujet du miel. Mais lorsqu'il se présenta chez Porcinet pour chercher son ami, Winnie trouva Porcinet perché bien haut dans un arbre.

«Je fais ce que Jean-Christophe m'a conseillé», lança Porcinet. «J'essaie de vaincre ma peur des hauteurs.»

Sa peur revint toutefois lorsque la branche craqua sous lui.

«Oh, oh, oh!» fit Tigrou qui arrivait en bondissant, prêt à secourir Porcinet. Mais la queue de Tigrou ne lui permettait pas de bondir à la hauteur de son ami. Tigrou ne put qu'attraper Porcinet dans sa chute.

Une avalanche de glands tombant de l'arbre fit rouler les trois amis vers la maison de Coco Lapin. Coco Lapin n'attendait personne. Son livre de jardinage disait que c'était aujourd'hui la Journée de la Moisson. «Mûrs ou pas, dit-il à ses légumes, on suit le livre à la lettre!»

Mais avant même qu'il ait pu cueillir un seul pois, il fut entraîné vers la maison de brindilles de Bourriquet!

La roulade de Tigrou, Porcinet, Coco Lapin et Winnie laissa Bourriquet sans une seule brindille au-dessus de sa tête. Lorsqu'ils s'arrêtèrent enfin, Winnie montra le pot de miel à ses amis. «Si je pouvais trouver Jean-Christophe, dit-il, il pourrait me dire à qui le miel appartient.»

«Pourquoi ne lis-tu pas le message?» demanda Coco Lapin.

Un message! Cela signifiait qu'il fallait aller voir Maître Hibou. Ce dernier étudia le message attentivement, puis il lut: «Sois inquiet. Je m'en vais très loin. J'appelle au secours. Jean-Christophe.» Plutôt que de lire «classe», Maître Hibou avait lu «crâne».

Cela signifiait donc, d'ajouter Maître Hibou, que leur ami était en danger.

«Nous devons le retrouver et le ramener ici sain et sauf!» déclara Winnie.

«Ah!» s'exclama Maître Hibou. «Vous partez en expédition!» Il dessina une carte et leur parla du terrible Crânausaure qu'ils rencontreraient. «Vous devez aller aux Montagnes interdites et, de là, atteindre l'Oeil du Crâne pour sauver Jean-Christophe», les avertit-il.

Au moment du départ, même Winnie tremblait de peur.

Winnie et ses amis suivirent la carte de Maître Hibou. Ils traversèrent la Forêt, la Forêt perdue, puis la Forêt sans fin pour finalement atteindre le Rocher renversé.

«Si vous êtes ici, vous êtes là où les monstres vivent», lut Coco Lapin par-dessus l'épaule de Winnie. Aussitôt, ils entendirent un grognement terrifiant à proximité!

«Le Crânausaure!» gémit Porcinet.

Coco Lapin, lui, ne fut pas effrayé. Après tout, ils avaient une carte à suivre. Et une carte valait bien un livre pour leur expliquer ce qu'il fallait faire. Coco Lapin prit la carte des mains de Winnie. Après y avoir jeté un coup d'œil rapide, d'un air confiant il pointa dans la direction qu'il croyait être la bonne.

«Aucun Crânausaure n'oserait nous suivre dans ces ronciers», dit Coco Lapin aux autres.

L’instant d’après, toutefois, ils entendaient un autre grognement. Pris de panique, Porcinet partit en courant — et trouva un magnifique pré! De gentils papillons le chatouillaient. Puis ils transportèrent Porcinet!

Winnie tenta d’aider son ami effrayé en se rappelant les paroles de Jean-Christophe. «Tu es plus grand que le roi!» cria-t-il à Porcinet. Ce qui n’aida pas du tout. Mais lorsque Winnie saisit Porcinet par une patte, les deux amis s’écrasèrent au sol lourdement.

«Tu as été très brave, Winnie», dit Porcinet.

«Tu es très brave toi aussi, Porcinet», répondit Winnie. «Plus brave que... quelque chose. Euh..., Coco Lapin, demanda Winnie, s'agit-il là des montagnes que nous cherchons?»

Winnie se fiait à ses yeux. Coco Lapin se fiait à la carte — jusqu'à ce que le vent la déchire en deux.

Une moitié de la carte virevolta au-dessus d'une gorge profonde. Tigrou se précipita sur un billot et se mit à bondir pour l'attraper. Il bondit... bondit... mais il ne pouvait pas l'atteindre. «Je me demande pourquoi cette queue fait défaut?» dit-il. Il tenta de bondir à nouveau — et le billot de bois craqua sous son poids.

Tigrou atterrit plusieurs mètres plus bas. Il était sûr qu'il ne pourrait jamais bondir assez haut pour retrouver ses amis. Winnie essaya de se rappeler ce que Jean-Christophe avait dit à propos d'être plus fort que tu le parais. «Tu es plus fort qu'un balai!» dit-il pour encourager Tigrou.

Tigrou ne voulait toujours pas essayer de bondir. Alors ses amis formèrent une chaîne. Ils venaient tout juste d'atteindre Tigrou quand Bourriquet lâcha prise. Ils tombèrent tous au fond de la gorge...

... et atterrirent dans la boue. SPLASH! La moitié de la carte virevolta dans le brouillard et se posa sur la tête de Coco Lapin.

«Sais-tu par où il faut aller pour retrouver Jean-Christophe?» demanda Winnie.

Coco Lapin secoua la tête. «Coco Lapin n'est pas assez intelligent pour le savoir», répondit-il.

Winnie tenta de se rappeler ce qu'avait dit Jean-Christophe à propos d'être plus intelligent que tu penses. «Tu es plus intelligent qu'une grue immense», dit-il à Coco Lapin.

Coco Lapin avait toujours le sentiment d'avoir échoué. Ils se sentaient tous perdus et seuls et ils auraient souhaité que Jean-Christophe soit là, avec eux. Désespérés, ils se dirigèrent vers une grotte pour attendre que le brouillard se dissipe.

Lorsque le brouillard se dissipa enfin, Porcinet se rendit compte qu'ils avaient trouvé refuge dans la Grotte cachée! Ils devaient trouver un moyen de rejoindre Jean-Christophe dans l'Oeil du Crâne! Mais, tandis que le grognement du Crânausaure résonnait autour d'eux, ils ne réussirent qu'à trouver une grotte de cristal.

Lorsque Tigrou, Coco Lapin, Bourriquet et Porcinet crurent entendre un autre grognement du Crânausaure, ils s'enfuirent à toutes jambes! Mais Winnie glissa sur le sentier glacé et se retrouva coincé derrière un bloc de cristal. Il ne put appeler à l'aide. Ses amis crurent que le Crânausaure n'avait fait qu'une bouchée de Winnie!

Puis Coco Lapin s'étonna lui-même en ayant une idée: Tigrou pourrait faire bondir Porcinet jusqu'à l'Oeil. Tigrou se surprit lui-même de réussir le bond. Et Porcinet se surprit lui-même d'avoir le courage de se tenir sur la haute saillie et de faire descendre une liane le long de laquelle ses amis pourraient venir le rejoindre.

Winnie avait tout vu. Mais au moment où ses amis se hissaient près de lui, Winnie se décoinça et glissa au plus profond de la grotte.

Seul, Winnie pensa à Jean-Christophe et il se rappela les paroles exactes de son ami. «Porcinet a été tellement plus brave qu'il le croit», dit Winnie. «Et Tigrou a été plus fort qu'il le paraît. Et Coco Lapin, plus intelligent qu'il pense!»

Puis Winnie se souvint que Jean-Christophe avait dit, «Même si nous sommes séparés, je serai toujours avec toi.» Dès cet instant, Winnie ne se sentit plus seul.

Loin de là, Tigrou, Porcinet, Coco Lapin et Bourriquet se blottirent les uns contre les autres. Quelque chose approchait d'eux dans la grotte. C'était — Jean-Christophe!

«Où étiez-vous?» demanda-t-il.

«Nous sommes venus te sauver», répondit Tigrou.

«Me sauver?» s'enquit Jean-Christophe. «Mais, j'étais simplement en classe.»

Les autres lui expliquèrent tout de la carte et de leur expédition. Jean-Christophe leur expliqua que Maître Hibou avait mal compris son message, qui disait: «Ne sois pas inquiet. Je ne m'en vais pas très loin. Le miel est pour toi». En disant miel, Jean-Christophe pensa à Winnie. «Où est Winnie?»

Un grognement résonna au fond de la grotte. Porcinet répondit, d'une voix triste, «Là-dedans! Le Crânausaure l'a dévoré!»

Jean-Christophe n'était pas du tout triste. «Ce n'est pas un Crânausaure», dit-il. «Ce sont les gargouillis de l'estomac d'un Winnie qui a faim.»

En moins de temps qu'il n'en faut pour dire “pot de miel”, Jean-Christophe avait élaboré un plan de sauvetage. Il attacha un pot de miel de la taille de Winnie à une corde et le fit descendre où Winnie était assis avec son petit pot de miel. Lorsque Winnie vit le gros pot de miel, il grimpa dedans. Jean-Christophe n'eut qu'à le tirer vers lui.

On n'avait jamais vu de Winnie l'Ourson plus heureux que celui qui serra Jean-Christophe dans ses bras. Et on n'avait jamais vu d'amis plus heureux que Porcinet, Tigrou, Coco Lapin et Bourriquet lorsqu'ils virent Winnie sain et sauf.

Ils avaient retrouvé leurs amis — et chacun avait trouvé ses propres forces.

Leur expédition avait été un succès, deux fois plutôt qu'une.

Plus tard, Jean-Christophe expliqua à Winnie ce qu'était l'école. «J'y apprends des choses. J'étais craintif au début, mais quand je me sentais seul, je pensais à toi, Winnie.»

«C'est ce que j'aurais fait aussi», dit Winnie.

«Winnie?» dit Jean-Christophe. «Tu me promets que tu ne m'oublieras jamais?»

«Je te le promets», répondit Winnie.

«Et tu te souviendras que même si nous sommes séparés, je serai toujours avec toi?»

«Oui, Jean-Christophe», dit Winnie. «Et je serai toujours avec toi.»